10 Minuten Rückenschule

Erika Busch-Ostermann

10 MINUTEN RÜCKENSCHULE

Im FALKEN Verlag sind weitere Titel zum Thema „Rückenschule“ erschienen.
Bitte fragen Sie in Ihrer Buchhandlung.

Der Text dieses Buches entspricht den Regeln der neuen deutschen Rechtschreibung.

Dieses Buch wurde auf chlorfrei gebleichtem und säurefreiem Papier gedruckt.

Die Deutsche Bibliothek – CIP-Einheitsaufnahme

10 Minuten Rückenschule / Erika Busch-Ostermann. (Fotos: Studio-Team, Langen, Wolfgang Zöltsch). – Orig.-Ausg. – Niedernhausen/Ts. : FALKEN TaschenBuch, 1997
ISBN 3-635-60341-4

Originalausgabe
ISBN 3 635 60341 4

Umschlaggestaltung: Zembsch' Werkstatt, München
Gestaltung: Beate Müller-Behrens
Redaktion: Martina Seith, Offenbach/Sabine Weeke
Herstellung: Beate Müller-Behrens
Titelbild: Image Bank, München/David Vance
Zeichnung: Gerhard Scholz, Dornburg
Fotos: Studio Team, Langen/Wolfgang Zöltsch
Satz: MGX Media, Wiesbaden
Druck: Paderborner Druck Centrum

817 2635 4453 6271

Inhalt

Was ist Rückenfitness?

Der Mensch lebt von Bewegung!

Leider stimmt diese Aussage mit der heutigen Wirklichkeit nicht mehr überein. Einseitige Belastungen im Beruf und in der Freizeit verursachen immer mehr körperliche Schäden. Ob Sie nun zuviel sitzen, stehen, zu schwer heben oder einfach nur ein Bewegungsmuffel sind: Ihre Gesundheit und Ihr Wohlbefinden werden ganz entschieden von der persönlichen Befindlichkeit und Beweglichkeit Ihres Körpers bestimmt und beeinflusst.

Rückenfitness = Lebenselixier!

Warum „Fitness für den Rücken?"

Wird der Rücken als zentrale Einheit betrachtet, der in Verbindung mit der Gegenseite, also der Bauchseite, für unsere Aufrichtung sorgt, sollte jedem klar werden, dass dieser Teil unseres Körpers besonderer Beachtung bedarf. Doch nichts desto trotz: auch unsere Füße und Beine als Träger dieser Einheit sollten nicht unbeachtet bleiben!

Rückenfitness zum Grundbestandteil unseres täglichen Lebens werden zu lassen – dies ist Sinn und Zweck dieses Buches.

Wirbelsäulenaufbau und Muskelkorsett

Die Wirbelsäule ist der zentrale Träger unseres Körpers. In Verbindung mit dem Becken, den Gelenken und den Extremitäten ermöglicht sie unsere aufrechte Haltung. Hierbei ist die Wirbelsäule allerdings starken Belastungen ausgesetzt, die sie in ihrer natürlichen Funktion beeinträchtigen. Sei es die Belastung durch übermäßig langes und falsches Sitzen, sei es eine besondere berufliche Belastung (Heben und Tragen zum Beispiel): die Bandscheiben, Bänder und Muskeln werden in den meisten Fällen falsch belastet und dadurch in ihrer Funktion beeinträchtigt.

Muskeln, die falsch oder zuwenig belastet werden, zeigen zwei unterschiedliche Verhaltensweisen:

- die einen neigen zur Verkürzung und müssen deshalb gedehnt werden,
- die anderen neigen zur Abschwächung, müssen also gekräftigt werden.

Diese Neigungen müssen bei der Übungsauswahl unbedingt beachtet werden. Den Körper lockern, Beweglichmachen in den Gelenken, dann dehnen und kräftigen und zum Schluß entspannen – dies ist die richtige Reihenfolge!

Anatomie der Wirbelsäule

Seitenansicht

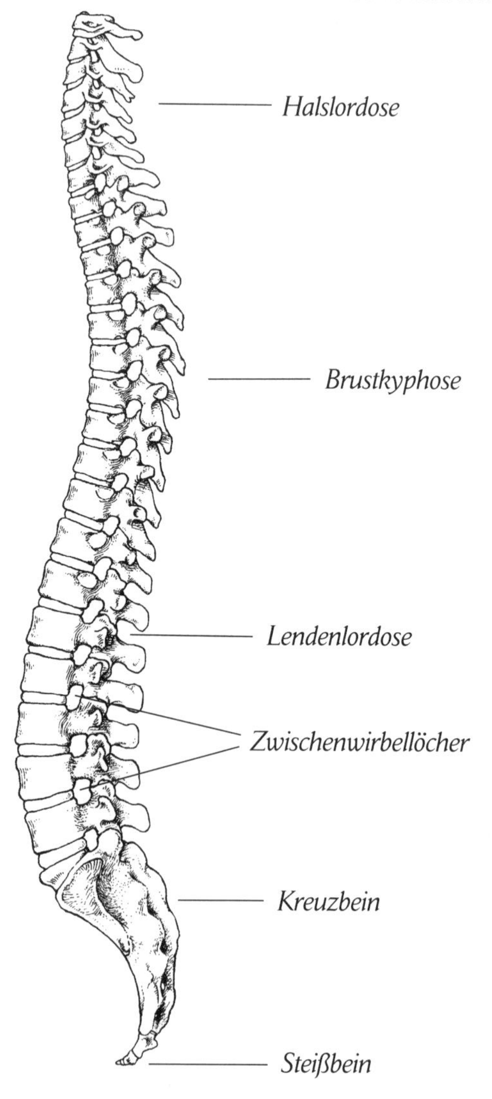

Fehlhaltungen und Beschwerden

Fehlhaltungen können anlagebedingt sein, werden jedoch ebenso oft durch falsche Belastungen und damit verbundenen Beschwerden verursacht. Anlagebedingte Fehlhaltungen wie „Hohlkreuz", „Rundrücken", „Skoliosen" können mit frühzeitiger und gezielter Krankengymnastik sowie orthopädischen Hilfsmitteln oftmals korrigiert und ausgeglichen werden, so dass keine Beschwerden auftreten müssen.

Wird eine Korrektur jedoch versäumt und/oder kommen noch Fehlbelastungen im täglichen Leben hinzu, reagiert unser Muskelkorsett mit Schmerzen. Pillen und Spritzen sollten aber nicht *1. Wahl* zur Beschwerdebehandlung sein – Bewegung und richtiges Alltagsverhalten sind wahre Wundermittel. Natürlich gibt es Indikationen, bei denen ärztlicherseits unbedingt medikamentös behandelt werden muss! Zusätzliche vernünftige Bewegung wird in den meisten Fällen auch hier unterstützend helfen!

Grundregeln der Rückenschule

Bewegung ist alles! Darum Gymnastik für die gesamte Muskulatur.

Rücken gerade halten!

Bücken heißt in die Hocke gehen – mit geradem Rücken!

Gegenstände dicht am Körper tragen!

Lasten gleichmäßig verteilen!

Schweres zu zweit tragen!

Stehen ohne Spannung in den Kniekehlen!

Sitzen, stehen, gehen, liegen :
Positionen öfters wechseln!

Programme

Grundsätzliches zur Ausführung

- Achten Sie auf bequeme Kleidung, genügend Raum zum Bewegen, frische Luft und stellen Sie nach Möglichkeit äußere Reize wie das Telefon ab.
- Geniessen Sie *Ihr* Programm!
- Jedes Programm ist nur so sinnvoll wie seine Ausführung korrekt ist. Orientieren Sie sich an den Abbildungen.
- Fangen Sie jedes Programm mit einer kleinen Erwärmungsphase an: laufen und hüpfen auf der Stelle sowie Hampelmannsprünge kurbeln den Kreislauf an und bereiten die Muskeln, Sehnen und Bänder auf die danach kommende Beanspruchung vor.
- Achten Sie auf die korrekte Ausgangsstellung bei jeder Übung, weichen Sie nicht ins Hohlkreuz aus.
- Lassen Sie sich gegebenenfalls von einem Partner korrigieren.
- Wiederholen Sie jede Übungsfolge drei bis fünf Mal und versuchen Sie alles in allem mindestens zehn bis 15 Minuten an drei Tagen in der Woche zu üben.
- Sinnvoll ist es, die Übungen in der beschriebenen Reihenfolge durchzuführen.
- Sollten Sie ungewohnte Schwierigkeiten oder gar Schmerzen bei einer Übung haben, lassen Sie diese bitte aus und konsultieren Sie gegebenenfalls einen Arzt.
- Wenn Ihnen das vorgesehene Programm zu lang ist, kürzen Sie es einfach ab: entweder lassen Sie zum Schluss einige Übungen weg oder Sie wiederholen die einzelnen Übungen nur mit der Minimalwiederholungszahl.

- Vergessen Sie nicht, sich im Anschluss an Ihr Übungsprogramm noch etwas zu entspannen: setzen oder besser legen Sie sich entspannt hin, konzentrieren Sie sich auf Ihren Atem und hören Sie vielleicht noch einige Minuten Ihre (ruhige) Lieblingsmusik an. Atmen Sie dann noch einmal (möglichst am geöffneten Fenster) tief durch und Sie werden sehen: alle weiteren Tätigkeiten gehen Ihnen wieder flott von der Hand!

Übrigens: wenn Sie Abwechslung haben wollen oder Ihr Programm einfach nur erweitern möchten, schauen Sie doch einfach auch einmal in die übrigen Kurzprogramme dieses Buches.

Rückenfitness für jeden

Der Tipp für jeden Tag:

Das tägliche Einerlei durch gezielte Bewegung unterbrechen: im Bett beginnen, unter der Dusche weitermachen, beim Arbeiten nicht aufhören und in der Badewanne beenden.

Übung 1 *Strecken und räkeln Sie sich im Bett oder fahren Sie etwas Fahrrad im Liegen.*
ZIEL: Kreislaufankurbelung

Übung 2 *Schieben Sie in Bauchlage – Zehen aufgestellt und Fersen rausgeschoben – beide Arme (auch abwechselnd) diagonal nach vorn.*
ZIEL: Dehnung der gesamten Muskulatur

Übung 3 *In Rückenlage schieben Sie wechselweise ein Bein aus der Hüfte heraus – nicht die Hüfte abheben!*
ZIEL: Dehnung der gesamten Muskulatur

Übung 4 *In Rückenlage – auch mit aufgestellten Füßen – ziehen Sie ein Bein gebeugt an. Dabei drücken Sie die Lendenwirbelsäule fest gegen die Unterlage. Den Bauch fest anspannen.*
ZIEL: Kräftigung der Bauchmuskulatur, Entlastung des Lendenwirbelsäulenbereichs

Übung 5 *In der Bankstellung strecken Sie im Wechsel das rechte und linke Bein weit heraus – die Ferse ist dabei der hinterste Punkt.*
ZIEL: Kräftigung der Gesäß- und Beinmuskulatur und der unteren Rückenmuskulatur

Übung 6 *Im Stand halten Sie den Rücken gerade – kein Hohlkreuz machen, deshalb Bauch- und Gesäßmuskeln leicht anspannen – und verteilen Ihr Gewicht gleichmäßig auf beide Beine. Mit gebeugten Armen beschreiben Sie kleine und große Kreise. Die gleiche Übungswirkung erreichen Sie, indem Sie im Schultergelenk einen oder beide Arme ein- und ausdrehen*
ZIEL: Mobilisation des Schultergürtels

Übung *7 Im Stand beugen Sie abwechselnd ein Bein an, führen es hoch und drehen es nach außen. Auch über Kreuz: Wechselweise führen Sie den rechten Ellenbogen zum linken Knie und umgekehrt. Den Rücken halten Sie gerade.*
ZIEL: Mobilisation des Hüftgelenks

Übung 8 *Im Stand: Lassen Sie die Arme locker hängen oder legen Sie die Hände auf die Schultern: den Rumpf nach rechts und links drehen.*
ZIEL: Mobilisation der Wirbelsäule

Übung 9 *Stehen Sie mit gebeugten Knien und lassen Sie den Rücken locker nach vorne hängen. Dann Wirbel für Wirbel langsam wieder aufrichten.*
ZIEL: Gefühl für langsames Aufrichten entwickeln

Übung 10 *Im Wechsel strecken Sie einen Arm zur Decke und den anderen Arm zum Boden – im Stand sind Ihre Knie immer leicht gebeugt.*
ZIEL: Dehnung der gesamten Muskulatur

Übung 11 *Ziehen Sie mit der Hand zum Knie (oder legen Sie die Hände auf die Schultern und beugen Sie sich mit dem Ellenbogen zum Knie). Machen Sie dabei kein Hohlkreuz – eine leichte Spannung in der Bauch- und Gesäßmuskulatur halten.*
ZIEL: Dehnung der seitlichen Rumpfmuskulatur

Übung 12 *Fassen Sie im Stand oder im Sitz mit der rechten Hand an die rechte Schläfe; danach mit links. Erzeugen Sie leichten Gegendruck und halten Sie diesen einige Sekunden. Auch beide Hände an den Hinterkopf (oberer Bereich) beziehungsweise an die Stirn und Gegendruck erzeugen.*
ZIEL: Kräftigung der Nacken- und Halsmuskulatur

Übung 13 *In Rückenlage, anfangs mit einem aufgestellten Bein, später mit einem gestreckt auf dem Boden liegenden Bein, führen Sie das zweite Bein gestreckt hoch, und drücken mit der Gegenhand von innen gegen das gestreckte Knie. Der Kopf bleibt am Boden, die Lendenwirbelsäule auch.*
ZIEL: Kräftigung der gesamten Muskulatur

Übung 14 *Versuchen Sie, sich im Schneidersitz zehn bis 15 Sekunden aufrecht hinzusetzen, eventuell nehmen Sie auch noch die Arme in Hochhalte, die Schultern bleiben tief.*
ZIEL: Kräftigung der Rumpfmuskulatur

Übung 15 *Wechseln Sie in die Seitlage. Gegen einen Widerstand (Partnerhilfe, Schrank oder ähnliches) heben Sie ein Bein an und halten diese Spannung wieder einige Sekunden.*
ZIEL: Kräftigung der Bein-, Bauch-,Gesäß- und Rückenmuskulatur

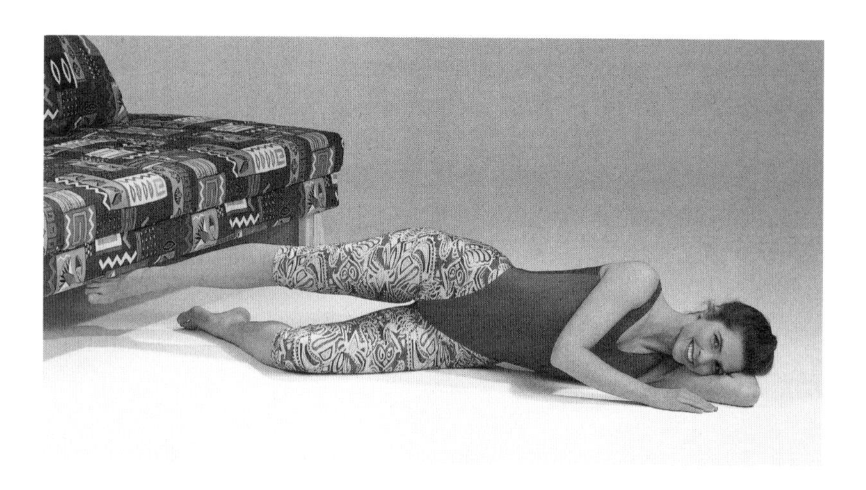

Übung 16 *Im Sitzen greifen Sie mit der rechten Hand über den Kopf zur linken Kopfseite und erzeugen einen Gegendruck. Einige Sekunden halten, wiederholen und dann die Seite wechseln. Oder auch die Hände auf den Kopf legen und mit dem hinteren Bereich des Kopfes zur Decke strecken – machen Sie dabei ein leichtes Doppelkinn.*
ZIEL: Kräftigung der Hals- und Nackenmuskulatur

Übung 17 *Drücken Sie in Brusthöhe Ihre Hände gegeneinander und halten diesen Druck circa zehn Sekunden. Nach einigen Wiederholungen machen Sie es umgekehrt: ziehen Sie Ihre Hände quasi auseinander und halten Sie die Spannung einige Zeit.*
ZIEL: Kräftigung der Brust- und Armmuskulatur

Rückenfitness für alle, die viel stehen

Versuchen Sie immer wieder zwischendurch Ihre Beine zu entlasten. Nutzen Sie jede Möglichkeit, sich zwischendurch zu setzen oder auch nur anzulehnen.

Übung 1 *Ziehen Sie im Wechsel die Zehen hoch und krallen Sie die Zehen wieder ein. Erst links, dann rechts oder im Sitzen beidbeinig. Dann heben und senken Sie die Fußspitzen im Wechsel oder gleichzeitig bis nur noch die Fersen Bodenkontakt haben.*
ZIEL: Gelenkmobilisation und Ankurbeln der Venenpumpe und des Kreislaufs

Übung 2 *Im Stand mit in Schulterhöhe ausgestreckten Armen drehen Sie Ihren Körper abwechselnd nach rechts und links. Langsam und gleichmäßig, nicht ruckartig! Dann beugen Sie sich langsam nach rechts beziehungsweise nach links. Bleiben Sie dabei mit leicht gebeugten Knien stehen und knicken Sie nicht im Hüftgelenk nach vorne ab.*
ZIEL: Wirbelsäulenmobilisation

Übung 3 *Halten Sie sich zum Beispiel an einer Stuhllehne fest, geben Sie leicht in den Kniegelenken nach und halten Sie den Rücken gerade. Beine und Rücken bilden einen rechten Winkel, die Fersen stehen unter dem Gesäß. Versuchen Sie dann langsam und vorsichtig Ihre Beine in die Streckung zu bringen.*
ZIEL: Beanspruchung des gesamten Körpers

Übung 4a *Knien Sie sich hin und setzen Sie ein Bein nach vorne auf (rechter Winkel zwischen Ober- und Unterschenkel). Legen Sie die Hände auf das vordere Knie. Halten Sie den Rücken aufrecht und versuchen Sie, nur das Becken zu bewegen: schieben Sie es nach vorne und machen Sie ein Hohlkreuz, richten Sie es wieder auf und drücken Sie dabei die Lendenwirbelsäule weit nach hinten („Bauch einziehen"). Dies wiederholen Sie einige Male, bis Ihnen der Wechsel und die Beweglichkeit des Beckens bewusster geworden sind.*

Übung 4b *Nun erweitern Sie die Übung: richten Sie das Becken auf und schieben sich mit dem Schambein weit nach vorn. Dabei verlagert sich das Gewicht auf den vorderen Fuß, das Knie schiebt sich dabei über die Fußspitze hinaus. Spüren und halten Sie die Dehnung im Leistenbereich des hinteren Beines einige Sekunden und wiederholen Sie die Übung nach einer kurzen Lockerungsphase.*

ZIEL: Bewusstmachung des Beckens, Dehnung des Leistenbereichs

Übung 5 *Setzen Sie sich im Schneidersitz auf den Boden oder setzen Sie sich auf einen Stuhl, und strecken dabei den Hinterkopf zur Decke hoch. Dabei darauf achten, dass ein leichtes Doppelkinn entsteht. Falten Sie die Hände hinter dem unteren Rücken und versuchen Sie dann, die Handflächen zum Boden und zum Körper hin zu drehen. Die Schulterblätter werden weit nach hinten-innen zurückgeführt, die Ellenbogen wenden sich zueinander. Bleiben Sie locker bei dieser Übung und achten Sie auf gleichmäßigen Atem.*
ZIEL: Dehnung des Brustkorbs

Übung 6 *Bleiben Sie sitzen und nehmen Sie Ihre Hände nach oben an den Scheitelpunkt. Die Ellenbogen zeigen nach außen und der Kopf wird langsam gesenkt. Lassen Sie Ihren Rücken gestreckt – nur der Kopf bewegt sich nach vorne. Lassen Sie ihn eine Weile unter dem natürlichen Gewicht Ihrer Arme hängen. Nach einiger Zeit merken Sie einen leichten Zug rechts und links an der Halswirbelsäule, der sich nach unten hin fortsetzt, wenn Sie länger in dieser Position verharren. Richten Sie sich dann langsam wieder auf.*
ZIEL: Dehnung der Hals- und Nackenmuskulatur

Übung 7 *Legen Sie sich auf den Rücken mit dem Gesäß an die Wand. Ihre Beine legen Sie an der Wand hoch und spreizen sie weit. Drehen Sie Fersen und Fußspitzen abwechselnd nach außen und innen.*
ZIEL: Mobilisierung des Hüftgelenkes

Übung 8 *Legen Sie sich mit gebeugten Beinen auf den Rücken. Dabei sind die Fersen in Höhe der Knie, das Kinn zeigt zum Hals. Drücken Sie den unteren Rücken gegen den Boden, ziehen Sie den Bauch ein und stemmen Sie mit den Fersen nach vorne. Die Kinn- und Rückenhaltung beibehalten! Geben Sie dann wieder mit den Knien Richtung Bauch nach, entspannen Sie in dieser Stellung kurz und wiederholen Sie die Bewegung.*

ZIEL: Kräftigung der Bauchmuskeln

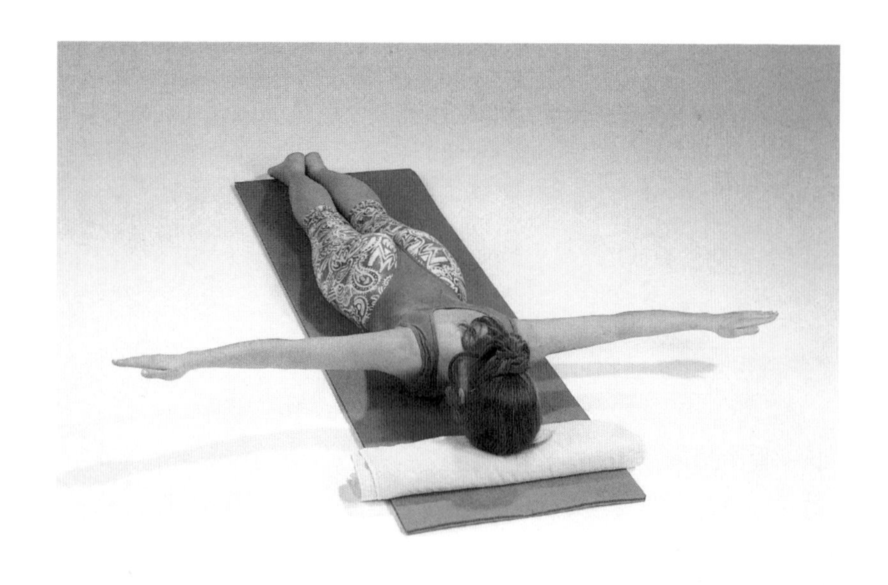

Übung 9 *Gehen Sie in die Bauchlage und legen Sie die Stirn auf eine kleine Auflage. Die Arme sind in Schulterhöhe ausgebreitet. Lösen Sie nun durch eine leichte Beckenaufrichtung den Bauchnabel vom Boden und drücken dabei das Schambein fest auf den Boden. Ohne Veränderung der Beckenstellung heben Sie nun einen Arm (beide Arme im Wechsel oder gleichzeitig) seitlich an und halten Sie diese Stellung einige Sekunden, die Stirn bleibt am Boden, die Schulterblätter werden Richtung Gesäß gezogen. Langsam absenken, entspannen und wiederholen. Atmen nicht vergessen!*
ZIEL: Stabilisierung und Kräftigung der Rückenmuskulatur

Übung 10 *Legen Sie sich auf den Rücken, die Beine schräg hochgelagert. Pressen Sie ein Kissen zwischen den gestreckten Füßen zusammen. Durch die Anspannung des Rückens und der Beine sollte sich Ihr Gesäß vom Boden abheben. Versuchen Sie, die Spannung von Ihren Füßen aus so langsam wie möglich aufzubauen, einige Sekunden zu halten und dann ebenso langsam wieder aufzulösen.*
ZIEL: Kräftigung der Muskulatur

Übung 11 *Nehmen Sie die Rückenlage wie in Übung 10 ein, polstern Sie die Kante des Stuhles gegebenenfalls mit einem Handtuch ab. Krallen Sie Ihre Zehen ein und strecken Sie sie wieder – immer im Wechsel. Danach kreisen Sie in den Fußgelenken mal rechtsherum, mal linksherum.*
ZIEL: Kreislaufanregung und Unterstützung des venösen Blutabflusses

Rückenfitness für alle, die viel sitzen

Übung 1 *Rollen Sie zwischendurch einfach öfter mal die Füße ab: nach vorn und nach hinten. Im Stand ziehen Sie sich bis auf die Fußballen hoch und senken wieder ab, dieses auch im Wechsel mit dem rechten und linken Fuß.*
ZIEL: Kreislaufaktivierung, Mobilisation der Fußgelenke

Übung 2 *Stellen Sie sich aufrecht hin, die Fersen sind geschlossen, die Fußspitzen zeigen leicht nach außen. Über dem Kopf fassen Sie mit den Händen an die Ellenbogen. Nun schieben Sie das Becken nach links und neigen gleichzeitig den Oberkörper leicht zur Gegenseite. Achten Sie darauf, kein Hohlkreuz zu machen, spannen Sie also Bauch- und Gesäßmuskeln an! Atmen Sie langsam und gleichmäßig, lassen Sie die Schultern locker und tief hängen. Verbleiben Sie in dieser Position einige Zeit.*
ZIEL: Flankendehnung

Übung 3 *Neigen Sie den Kopf zu den Seiten. Dann drehen Sie ihn abwechselnd zu beiden Seiten. Anschließend schieben Sie das Kinn weit nach vorne. Zum Schluss beugen Sie den Kopf leicht nach hinten. Halten Sie aber bei alledem den Rücken gerade und bewegen Sie nur den Hals.*
ZIEL: Entlastung und Dehnung der Hals- und Nackenmuskulatur

Übung 4 *Setzen Sie sich mit ausgestreckten und gespreizten Beinen auf den Boden. Nehmen Sie eine aufrechte Haltung ein, die Arme seitlich getragen, die Schultern locker, der Scheitelpunkt zieht zur Decke. Machen Sie wieder ein leichtes Doppelkinn. Drehen Sie nun in der Taille Ihren Oberkörper seitlich, bleiben Sie mit beiden Gesäßhälften am Boden, halten Sie die Dehnung und atmen Sie gleichmäßig weiter. Versuchen Sie, mit jedem Atemzug weiter in die Dehnung zu kommen. Langsam wieder zur Mitte zurück, dann Seitenwechsel.*
ZIEL: Drehbewegung in der Wirbelsäule und Mobilisation

Übung 5 *Setzen Sie sich auf Ihre Fersen. Versuchen Sie, durch eine Bewegung Ihres Beckens ein Hohlkreuz zu machen und wechseln Sie dann in die entgegengesetzte Richtung, also das Becken kippen und wieder aufrichten. Dieselbe Übung lässt sich auch im Kniestand durchführen.*
ZIEL: Bewusstmachung der Beckenstellung

Übung 6 *Setzen Sie sich auf Ihre Fersen, spreizen Sie die Knie weit auseinander, aber halten Sie mit Ihren Zehen Kontakt, ebenso bleibt das Gesäß auf den Fersen. Schieben Sie sich nun mit den Händen weit über den Boden nach vorne, bis zur Streckung Ihrer Arme. Die Stirn liegt nun auf einer Unterlage auf, das Gesäß ist immer noch mit den Fersen in Kontakt. Bleiben Sie locker in Ihrer Beinmuskulatur und spüren Sie die Dehnung an den Innenseiten Ihrer Oberschenkel. Legen Sie Ihren Bauch quasi auf dem Boden ab und atmen Sie ganz bewusst in die Bauchregion ein und aus.*
ZIEL: Dehnung und Hüftübung

***Übung** 7 Senken Sie Ihren Oberkörper im Kniestand mit geradem Rücken nach vorne ab, so dass Sie mit den Händen auf dem Boden aufliegen. Die Arme sind gestreckt und das Gesäß steht über den Knien (rechter Winkel zwischen Ober- und Unterschenkel). Halten Sie Ihre Bauchmuskeln leicht angespannt, damit Sie nicht ins Hohlkreuz sinken. Gehen Sie nun mit den Händen langsam in einem weiten Bogen nach rechts beziehungsweise nach links, bleiben Sie aber in den Beinen und im Gesäß fest und bewegen Sie sich dort nicht mit.*

ZIEL: Lockerung und Dehnung des Brustkorb- und Schulterbereichs

Übung 8 *Legen Sie sich auf den Rücken und ziehen Sie Ihre Knie zunächst langsam zum Brustkorb. Achten Sie darauf, dass Ihre Schulterblätter sich zum Gesäß hinziehen, Sie wieder ein leichtes Doppelkinn machen (Scheitelpunkt nach hinten schieben) und Ihre Lendenwirbelsäule den Kontakt zum Boden nicht verliert. Strecken Sie ein Bein langsam Richtung Decke. Sollten Ihnen Ihre Arme „zu kurz" vorkommen, nehmen Sie ein Tuch zu Hilfe. Versuchen Sie nun noch, die Fußspitze des gestreckten Beines zu sich hinunter zu ziehen. Halten Sie diese Dehnposition eine Weile und achten Sie darauf, dass Ihre Beinmuskulatur locker bleibt. Wechseln Sie das Bein oder versuchen Sie die Übung mit beiden Beinen gleichzeitig.*

ZIEL: Dehnung der hinteren Beinmuskulatur sowie der unteren Rückenpartie

Übung 9 *Begeben Sie sich in die Rückenlage. Stellen Sie einen Fuß auf das Knie des anderen Beins. Fassen Sie mit der gegenüberliegenden Hand das Knie und ziehen Sie es sanft Richtung Boden, während Sie den Kopf in die entgegengesetzte Richtung drehen. Lassen Sie hierbei die Schultern am Boden und versuchen Sie, den Rücken und das gebeugte Bein ganz locker zu lassen. Atmen Sie einige Male ruhig ein und aus und spüren Sie, wie die Dehnung Ihren Rückenbereich entspannen kann.*
ZIEL: Dehnung des unteren Rückenbereichs

Übung 10 *In der Rückenlage stemmen Sie eine Hand gegen das angezogene Gegenknie. Das zweite Handgelenk und die Ferse des am Boden liegenden Beines stemmen Sie in den Boden.*
ZIEL: Kräftigung der Bauchmuskeln

Übung 11 *Im Vierfüßlerstand bewegen Sie ein Knie und den entgegengesetzten Ellenbogen aufeinander zu. Anschließend strecken Sie das Bein und den Arm in Rückenhöhe aus. Die Wirbelsäule halten Sie dabei stabil und gehen nicht ins Hohlkreuz.*

ZIEL: Kräftigung der Rückenmuskulatur

Übung 12 *Begeben Sie sich mit stabiler Wirbelsäule in die Seitlage (Bauch- und Rückenmuskulatur anspannen. Stellen Sie sich vor, Ihre Gelenke lägen alle auf einer Linie!). Das obere Knie ist angebeugt, das untere Bein und der untere Arm sind lang gestreckt, die obere Hand stützt sich in Brustkorbhöhe ab. Beide Beine werden leicht angehoben. Versuchen Sie nun, in der Luft die Beine abwechselnd zu beugen und zu strecken.*

ZIEL: Kräftigung der gesamten Rumpfmuskulatur

Übung 13 *Gehen Sie in die tiefe Hocke und lassen Sie – bei leicht geöffneter Beinstellung – die Fersen am Boden. Sollte dies nicht ganz möglich sein, legen Sie sich ein Tuch oder ähnliches unter die Fersen, damit Sie die gesamte Fußfläche gleichmäßig belasten können. Neigen Sie nun den Oberkörper leicht nach vorne und legen Sie dabei die gefalteten Hände auf den Kopf. Verweilen Sie einige Augenblicke so und versuchen Sie dann, noch weiter nach vorne-unten zu kommen. Wichtig: das Gesäß bleibt so dicht wie möglich am Boden, bleiben Sie mit Oberkörper, Kopf und Armen völlig locker. Anschließend setzen Sie die Hände auf dem Boden auf und richten sich langsam – Wirbel für Wirbel – auf, dabei die Beine langsam strecken. Bei auftretenden Schmerzen im Lendenwirbelsäulenbereich strecken Sie Ihre Beine nur so weit durch, wie es Ihnen ohne Schmerzen möglich ist.*
ZIEL: Entlastung der rückwärtigen Muskulatur

Übung 14 *Halten Sie sich mit den Händen an einer Stuhllehne oder ähnlichem fest, beugen Sie das Standbein leicht (Fuß steht unter dem Hüftgelenk!), strecken Sie das andere Bein lang nach hinten aus und achten Sie darauf, dass Ihr Rücken und das ausgestreckte Bein eine gerade Linie bilden. Die Ferse bildet den hintersten Punkt.*
Schaffen Sie es auch, die Finger von der Stuhllehne zu lösen? Aber Achtung: Bauchmuskeln anspannen, Hüfte und Leiste Richtung Boden zeigen lassen – nicht aufdrehen! Die Schulterblätter ziehen Sie in Richtung Wirbelsäule und Becken.
ZIEL: Kräftigung der Rumpfmuskulatur

Rückenfitness für alle, die viel heben

Hierzu gehören neben Möbelpackern, Lieferanten und Handwerkern etc. auch Leute in Pflegeberufen und Eltern mit Kleinkindern.

Übung 1 *In der Rückenlage umfassen Sie die Knie mit beiden Händen und ziehen sie an den Brustkorb heran. Das Gesäß lassen Sie am Boden, Ihr Nacken bleibt lang, die Schulterblätter ziehen Richtung Gesäß. Nun geben Sie mit den Armen soweit nach, bis diese gestreckt sind. Abwechselnd die Knie anziehen und nachgeben. Ruhige, gleichmäßige Atmung, konzentrieren Sie sich auf die untere Rückenpartie.*
ZIEL: Dehnung des unteren Rückenbereichs

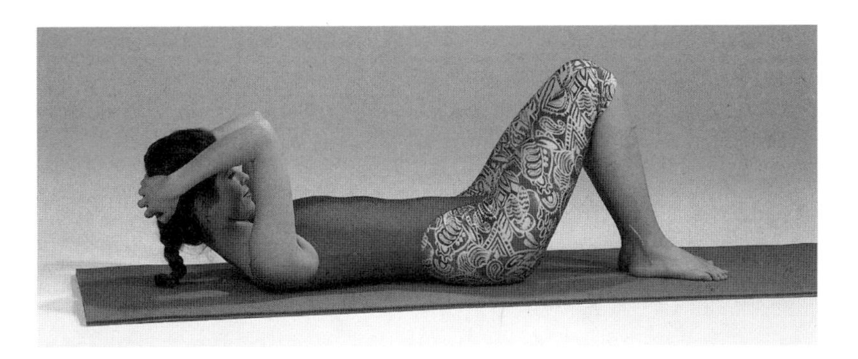

Übung 2 *Legen Sie sich auf den Rücken und stellen Sie die Beine auf. Legen Sie Ihren Kopf in die gefalteten Hände (weit oben fassen). Ziehen Sie nun die Ellenbogen zur Decke hinauf und lassen Sie die Schultern tief (Richtung Gesäß). Das ganze Gewicht des Kopfes ruht in den Händen, lassen Sie also Ihren Kopf schwer hängen. Einige Atemzüge lang mit den Armen halten, dann vom Hals her langsam wieder senken.*
ZIEL: Nackendehnung

Übung 3 *In Rückenlage stellen Sie die Füße parallel nebeneinander auf (dicht am Gesäß). Spannen Sie die Bauch- und Gesäßmuskulatur an. Heben Sie den Körper soweit an, dass Sie von den Knien bis zum Schultergürtel eine gerade Linie bilden. Achten Sie darauf, dass sich Ihr Schambein dem Brustkorb nähert, also nicht den Bauch hinaus drücken. Auch hierbei wieder den Nacken lang lassen („Doppelkinn"). Einige Zeit in dieser Position bleiben, ruhig und gleichmäßig atmen, dann Wirbel für Wirbel wieder absenken.*
ZIEL: Kräftigung der Rumpfmuskulatur

Übung 4 *Gehen Sie in den Vierfüßlerstand. Achten Sie darauf, dass das Gesäß über den Knien, die Hände unter den Schultern und der Nacken lang bleiben. Spannen Sie die Bauch- und Rückenmuskulatur an, setzen Sie die Zehen auf und lösen Sie die Knie vom Boden, indem Sie sich mit den Händen wegdrücken. Arme und Rücken bilden dann eine schräge Linie bis zum Gesäß, die Beine bleiben leicht gebeugt, die Fersen werden leicht Richtung Boden gesenkt. Atmen Sie ruhig und gleichmäßig weiter und versuchen Sie, den Brustkorb immer weiter zu den Knien zu bringen.*
ZIEL: Kräftigung der Muskulatur

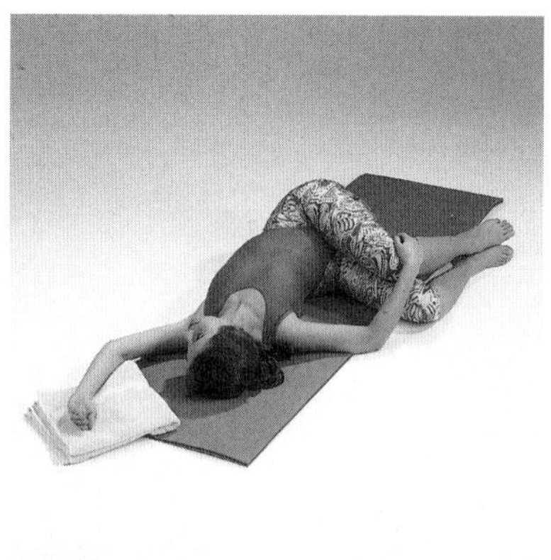

Übung 5 *Legen Sie sich mit angezogenen Knien auf die Seite, umfassen Sie die Knie mit den Händen. Die Füße sind vor den Knien zu sehen. Halten Sie den Rücken gerade und führen Sie den oberen Arm in einem großen Bogen flach über den Kopf hinweg nach diagonal-hinten. Lassen Sie den Arm am Boden liegen und drehen Sie den Kopf so, dass Sie die Handinnenfläche sehen können. Liegen bleiben und weiteratmen. Dann zur anderen Seite üben. Lassen Sie das natürliche Gewicht der Arme wirken, setzen Sie keine Anspannung, keinen Druck dagegen. Unter Umständen müssen Sie Ihren Arm zunächst auf einer erhöhten Unterlage ablegen, mit der Zeit wird die Dehnfähigkeit immer größer.*

ZIEL: Mobilisation im obereren und mittleren Wirbelsäulenbereich

Übung 6 *Heben Sie in der Rückenlage die Beine in die Senkrechte. Achten Sie darauf, dass die Lendenwirbelsäule zum Boden zeigt, der Bauch leicht angespannt ist und das Gesäß am Boden verbleibt. Ziehen Sie die Beine noch etwas dichter zum Körper. Dann drücken Sie die Lendenwirbelsäule noch etwas dichter zum Boden, bewegen die Beine etwas vom Körper weg, senken sie also etwas ab. Im Wechsel wieder heranziehen und absenken. Ruhig und gleichmäßig atmen.*

ZIEL: Bauchmuskelkräftigung

Übung 7 *Legen Sie die Arme in Bauchlage nach vorne ab. Die Stirn zeigt Richtung Boden oder ist auf dem Boden aufgelegt. Spannen Sie Ihre Bauch- und Gesäßmuskulatur an, ziehen Sie Ihre Schulterblätter Richtung Gesäß. Die leicht gebeugten Arme mit den zueinander zeigenden Handflächen heben Sie etwa fünf Zentimeter vom Boden ab. Halten Sie die Spannung der Rumpfmuskulatur, Ihre Stirn zeigt weiterhin zum Boden. Atmen Sie einige Male ein und aus und senken dann langsam wieder ab. Sie können die Arme auch abwechselnd heben und senken. Sie können diese Übung noch erweitern: Heben Sie zusätzlich das Gegenbein beziehungsweise beide Beine gleichzeitig an. Auch hierbei reichen fünf Zentimeter. Achten Sie darauf, durch ausreichende Spannung in Bauch- und Gesäßmuskulatur nicht ins Hohlkreuz zu fallen.*

ZIEL: Kräftigung und Stabilisierung der Rückenmuskulatur

Übung 8 *Setzen Sie sich mit leicht gebeugten Beinen auf den Boden. Strecken Sie sich in die Höhe, versuchen Sie, Ihren Rücken aufrecht zu halten (denken Sie an die Beckenstellung!). Ziehen Sie den Bauch leicht ein. Jetzt nehmen Sie die Hände hinter den oberen Teil des Kopfes zurück, ziehen die Ellenbogen weit zurück – die Schultern bleiben tief – und versuchen sich noch mehr zu strecken. Auch bei dieser Übung zieht der Scheitelpunkt nach oben, das Kinn ist leicht gesenkt. Legen Sie nun Ihre Hände auf den Kopf und lassen sich langsam Wirbel für Wirbel in die Rückenlage ab. Spannung in der Bauch- und Gesäßmuskulatur halten, bis Sie sich ganz abgesenkt haben. Wiederholen Sie diese Übung einige Male und entspannen Sie jedesmal zwischendurch kurz.*

ZIEL: Kräftigung und Stabilisierung der Rückenmuskulatur

Rückenfitness für unterwegs

Ein langer Anfahrtsweg zur Arbeitsstelle, auch weit entfernte Reiseziele und dementsprechend lange Fahrt- und Flugzeiten gehören mittlerweile zum Alltag vieler Menschen. Langes Sitzen im Auto, im Bus, in der Bahn oder im Flugzeug führt jedoch nicht selten zu Beschwerden körperlicher Art, wie beispielsweise Venenentzündungen, die neben dem täglichen Stress am Arbeitsplatz noch zusätzlich belasten und auch die schönsten Wochen des Jahres verleiden können. Beugen Sie vor – durch regelmäßige Bewegungsübungen während der Hin- bzw. Rückfahrt!

Das Anti-Stress-Programm für Pendler und Reisende

Wem ist es nicht schon so ergangen, dass er sich nach langer Flugzeit oder bei einer Autofahrt mit anhaltendem Stop-and-go-Verkehr ohne ausreichende Pausen total „gerädert" fühlte. Um dieses Gefühl zu vermeiden, sollen Ihnen hier einige Tipps zu einem aktiven Bewegungsverhalten gegeben werden. Denken Sie daran: nur regelmäßige Pausen lassen Sie sicher ans Ziel gelangen!

Die vorgestellten Übungen dienen zur Lockerung und Dehnung der Muskulatur und zur Aktivierung des Stoffwechsels. Die meisten Übungen können Sie an Ihrem Sitzplatz durchführen; einige Übungen lassen sich nur bei etwas mehr Platz ausführen, zum Beispiel bei Zwischenstopps im Flughafengebäude oder auf einem Parkplatz an der frischen Luft. Nutzen Sie jede Gelegenheit, um Ihre Muskeln zu dehnen, den Stoffwechsel zu aktivieren und Ihre Venenpumpe in Gang zu halten. Viel Spaß und guten Flug/gute Fahrt!

Übung 1 *Kreisen Sie mit Ihren Füßen mehrfach rechts- bzw. linksherum.*

Übung 2 *Ziehen Sie die Fußspitzen weit zu sich heran und strecken Sie sie wieder weg. Gleichzeitig pressen Sie Ihre Lendenwirbelsäule kräftig gegen den Sitz. Anschließend kippen Sie das Becken weit nach vorne.*

Übung 3 *Stemmen Sie im Sitzen die Fersen in den Boden, ziehen Sie die Zehen zu sich heran. Drücken Sie nun mit den Händen die Knie von innen nach außen beziehungsweise von außen nach innen. Halten Sie diese Stellung einige Sekunden und atmen Sie dabei ruhig und gleichmäßig weiter.*

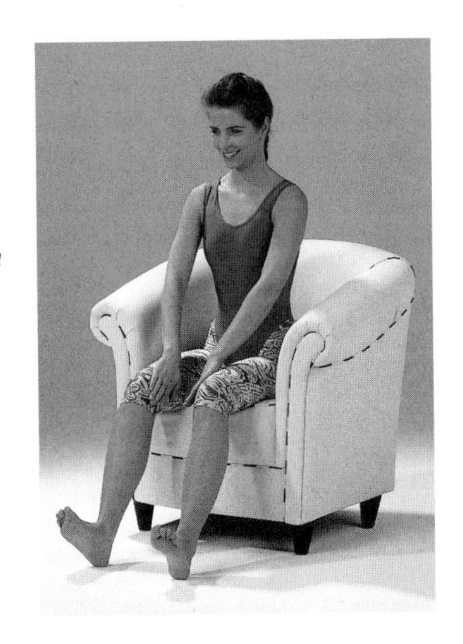

Übung 4 *Rollen Sie den Kopf sanft von links nach rechts und zurück, nicht nach hinten.*

Übung 5 *Kreisen Sie mit Ihren Schultern mehrfach vor- und rückwärts; jede Schulter allein, beide gleichzeitig oder auch gegengleich.*

Übung 6 *Ziehen Sie die Schultern Richtung Ohren hoch und geben Sie dann sanft wieder nach.*

Übung *7 Schauen Sie sich selbst einmal weit über die Schulter.*

Übung 8 *Beugen und strecken Sie Ihre Hände, kreisen Sie mit den Handgelenken. Ziehen Sie bei gebeugtem Handgelenk den Daumen zum Unterarm hin.*

Übung 9 *Beugen und strecken Sie jeden einzelnen Finger passiv mit Hilfe der anderen Hand.*

Übung 10 *Schütteln Sie Ihre Hände, Arme und Beine kräftig aus.*

Übung 11 *Klopfen Sie mit Ihren Finger Ihre Schädeldecke und die Seiten leicht ab, wie bei einem sanften Regenschauer.*

Übung 12 *Massieren Sie Ihre Schläfen mit den Fingerspitzen.*

Übung 13 *Streichen Sie die Schläfen und Augenbrauen mit Daumen und Zeigefinger aus. Beginnen Sie immer von der Mitte aus.*

Übung 14 *Klopfen Sie mit den Fingerspitzen leicht Ihr Gesicht aus.*

Übung 15 *Im Stehen rollen Sie die Füße bis auf die Fußballen hoch und wieder hinunter. Spannen Sie dabei die Bauch- und Gesäßmuskeln an.*

Übung 16 *Heben Sie die Arme, strecken Sie sich dabei bis auf die Fußspitzen hoch und spannen Sie den gesamten Körper an. Dann führen Sie die Arme wieder nach unten und senken den Körper wieder ab. Dabei tief ein- und ausatmen.*

Übung 17 *Kreisen Sie die Arme vorwärts und rückwärts: gleichzeitig, einzeln, gegengleich.*

Übung 18 *Verschränken Sie Ihre Arme hinter dem Rücken und neigen Sie dann Ihren Oberkörper weit nach vorn-unten. Die Arme versuchen Sie so weit wie möglich nach hinten-oben anzuheben.*

Übung 19 *Im Grätschstand strecken Sie die Arme in Schulterhöhe seitlich aus und dehnen sie sanft so weit wie möglich nach hinten-oben und hinten-unten.*

Übung 20 *Stellen Sie sich aufrecht hin und balancieren Sie sich seitwärts mit den Armen gut aus – eventuell festhalten. Nun heben Sie ein Bein leicht an und schwingen mit diesem locker vor- und rückwärts, wie ein Uhrpendel. Dabei darf das Knie ruhig bis in Hüfthöhe angewinkelt werden. Beinwechsel nicht vergessen!*

Übung 21 *Beugen Sie sich weit zur Seite hinunter, knicken Sie dabei aber nicht in der Hüfte ab. Bleiben Sie schön aufgerichtet im Becken!*

Übung 22 *Legen Sie die Ferse des gestreckten Beines etwas erhöht ab. Legen Sie Ihre Hände auf den Oberschenkel des gestreckten Beines knapp oberhalb des Kniegelenks ab, beugen Sie den Oberkörper unter leichtem Händedruck nach vorne, bis Sie einen leichten Zug im hinteren Beinbereich merken. Einige Zeit dehnen,dann lockern, wiederholen und Beinwechsel nicht vergessen!*

Die vorgestellten Übungen lassen sich, gegebenenfalls leicht abgewandelt, auch in Bus und Bahn durchführen. Denken Sie daran, die beste Vorbeugung gegen gesundheitliche Beeinträchtigung ist Bewegung. *Gute Reise!*

Mensch und Gesundheit

FALKEN TaschenBuch

FALKEN

Die Heilkraft der Pflanzen
Von S. Poth – 208 S.,
194 Farbfotos, gebunden
ISBN: 3-8068-**4862**-9
Preis: DM 39,90

Vorgestellt werden etwa 100 Heilpflanzen mit botanischer Beschreibung, Inhaltsstoffen, Einsatzmöglichkeiten und Besonderheiten. Die einzelnen Pflanzen sind den Krankheiten zugeordnet – der medizinische Laie findet sofort die für ihn relevanten Pflanzen.

Neurodermitis
Von Prof. Dr. med. S. Borelli,
Prof. Dr. med. J. Rakoski
136 S., 6 s/w-Fotos, 10 s/w-Zeichnungen, kartoniert
ISBN: 3-8068-**1649**-2
Preis: DM 24,90

Viele Menschen leiden unter Neurodermitis. Da es verschiedene Auslöser gibt, haben zahlreiche Betroffene bereits fehlgeschlagene Therapieversuche hinter sich. Dieses Buch hilft ihnen und ihren Angehörigen, den individuell richtigen Umgang mit der Erkrankung zu erlernen.

Rückenschmerzen
Von G. Leibold – 112 S.,
zweifarbig, 30 Zeichnungen,
kartoniert
ISBN: 3-635-**60059**-8
Preis: DM 14,90

Haben Sie auch Rückenschmerzen? Dieser Ratgeber beschreibt die Ursachen, erklärt allgemein verständlich die Krankheitsbilder und informiert über natürliche Heilweisen.

Allergien
Von G. Leibold – 100 S.,
4 Zeichnungen, kartoniert
ISBN: 3-635-**60057**-1
Preis: DM 12,90

Leiden Sie auch unter Heuschnupfen, einer Hausstaub- oder Sonnenallergie? Dieser Ratgeber will helfen, Allergien zu lindern und zu heilen. Er beschreibt allgemein verständlich den Aufbau des menschlichen Abwehrsystems, die verschiedenen Ursachen für Allergien, erklärt ihre Symptome und informiert über natürliche Heilweisen.

Autogenes Training
Von R. Faller – 110 S.,
3 s/w-Zeichnungen, kartoniert
ISBN: 3-635-**60009**-1
Preis: DM 9,90

Durch autogenes Training haben bereits Millionen Menschen zu mehr Lebensfreude und Selbstsicherheit gefunden. Die in diesem Buch dargestellten Übungen führen stufenweise zur positiven Beeinflussung der seelischen Haltung und zu völliger Entspannung.

Fußsohlenmassage
Von G. Leibold – 96 S.,
73 Zeichnungen, kartoniert
ISBN: 3-635-**60036**-9
Preis: DM 11,90

In China entdeckte man schon vor Tausenden von Jahren, daß zahlreiche Zonen des Fußes in einer besonderen Art reflektorischer Beziehung zum übrigen Körper stehen. In diesem praxisorientierten Ratgeber erfahren Sie, wie Sie die heilsamen Wirkungen der Fußmassage für sich selbst nutzen können.

Stretching
Von E. Kleila – 64 S.,
67 s/w-Fotos, kartoniert
ISBN: 3-635-**60085**-7
Preis: DM 9,90

Stretching ist eine sehr effektive Form der Muskeldehnung, die zu Beweglichkeit, Entspannung und Wohlbefinden führt. Das Training kostet wenig Zeit und kann in jedem Alter und fast überall durchgeführt werden. Ein idealer Ausgleich bei Bewegungsmangel und einseitiger Alltagsbelastung.

Ausgleichsgymnastik für Büroberufe
Von E. Busch-Ostermann
80 S., 80 s/w-Fotos, kartoniert
ISBN: 3-635-**60111**-X
Preis: DM 12,90

Gerade im Büro ist die Arbeitssituation geprägt von einem Mangel an Bewegung und ständigem Sitzen in oft ungesunder Haltung. Das belastet Ihre Wirbelsäule einseitig und kann langfristig Haltungsschäden und Verspannungen hervorrufen. Dieser Ratgeber liefert Ihnen ein umfassendes Programm mit wirkungsvollen Ausgleichsmaßnahmen.

Fit mit Ayurveda
Von J. Douillard – 192 S., kartoniert
ISBN: 3-635-**60260**-4
Preis: DM 19,90

In diesem Ratgeber finden Sie ein Trainingsprogramm mit ergänzendem Ernährungsplan, wie Sie nach den Prinzipien des Ayurveda mit weniger Anstrengung Ihre Leistung erfolgreich verbessern können. Dieses alte indische Gesundheitssystem beruht auf dem harmonischen Zusammenspiel von Geist und Körper.

Bodyfeeling
Von M. Sauer – 112 S.,
durchgehend vierfarbig, kartoniert
ISBN: 3-8068-**1766**-9
Preis: DM 19,90

Fitneß, Gesundheit, Schönheit – alles Ideale, von denen so manch eine(r) träumt! **bodyfeeling**, das offizielle Begleitbuch zur Fitneß-Sendereihe im ZDF hilft Ihnen, Ihren ganz persönlichen Traum zu verwirklichen. In diesem Ratgeber finden Sie das komplette Übungsprogramm der Fernsehserie mit zahlreichen Tips und Ratschlägen. Die Übungen werden mit Hilfe von rund 200 Farbfotos und präzisen Bewegungsanleitungen anschaulich erklärt.

Wirbelsäulengymnastik
Von L. Keller – 40 S., 109 Farbfotos,
8 Ausklapptafeln, kartoniert
ISBN: 3-8068-**1246**-2
Preis: DM 29,90

Rückenschmerzen – jeder dritte Bundesbürger leidet ständig darunter, jeder zweite zeitweise. Regelmäßiges Rückentraining und gezielte Wirbelsäulengymnastik dagegen helfen, die wichtigen Funktionen der Wirbelsäule ein Leben lang zu erhalten. Mit diesem Buch bekommen Sie unter anderem praktische Anleitungen für eine korrekte Körperhaltung, gesunden Freizeitsport und ein wirkungsvolles Rückentraining.

Astrologie

Widder
ISBN: 3-8068-**1741**-3

Die anderen Sternzeichen dieser Reihe:

1742-1 Stier
1743-X Zwillinge
1744-8 Krebs
1745-6 Löwe
1746-4 Jungfrau
1747-2 Waage
1748-0 Skorpion
1749-9 Schütze
1750-2 Steinbock
1751-0 Wassermann
1752-9 Fische

In dieser aufwendig ausgestatteten Sternzeichenreihe finden Sie alles Wissenswerte und Interessante zu jeweils einem Sternzeichen.
Dazu: Anleitung zur Aszendentenberechnung, Planetentabellen und Checks zur persönlichen Übereinstimmung.

Alle Bücher haben 80 Seiten, sind durchgehend vierfarbig, gebunden und kosten **DM 14,90**.

Kinderhoroskop
Von W. Noé – 152 S.,
85 Vignetten, kartoniert
ISBN: 3-635-**60242**-6
Preis: DM 14,90

Lernen Sie Ihr Kind so kennen, wie es wirklich ist; denn aus astrologischer Sicht hat jedes Kind für sein Sternzeichen typische Verhaltensweisen und seinen eigenen Charakter. In diesem astrologischen Ratgeber finden Sie Antworten auf alle Fragen, die Eltern bewegen.

Astro-Geschenkkarton Löwe
ISBN: 3-8068-**2405**-3

Die anderen Sternzeichen dieser Reihe:

2401-0 Astro-Geschenkkarton Widder
2402-9 Astro-Geschenkkarton Stier
2403-7 Astro-Geschenkkarton Zwillinge
2404-5 Astro-Geschenkkarton Krebs
2406-1 Astro-Geschenkkarton Jungfrau
2407-X Astro-Geschenkkarton Waage
2408-8 Astro-Geschenkkarton Skorpion
2409-6 Astro-Geschenkkarton Schütze
2410-7 Astro-Geschenkkarton Steinbock
2411-8 Astro-Geschenkkarton Wassermann
2412-6 Astro-Geschenkkarton Fische

Diese Astro-Geschenkkartons eröffnen Einblicke in das eigene Ich. Das Buch teilt alles Wissenswerte über das Sternzeichen mit. Die Astro-Drehscheibe gibt Auskunft über Anla-gen, beherrschende Planeten, Farben, Glückssteine, Pflanzen und Steine. Und die CD bietet entspannende Meditation mit einer für das Sternzeichen komponierten Musik.

Jeder Geschenkkarton enthält ein Buch über das Sternzeichen, eine Astro-Drehscheibe sowie eine Musik-CD.
Preis: DM 49,90.

Esoterik

Tarot für alle Decks
Von B. A. Mertz – 144 S.,
23 Kartenabbildungen, kartoniert
ISBN: 3-635-**60235**-3
Preis: DM 14,90

Noch nie war Tarot so verbreitet und beliebt wie heute. In diesem Esoterikbuch finden Sie die ausführliche Beschreibung der 21 Karten der großen Arcana und die 19 wichtigsten Auslegearten des Tarot.

Farben – Charakter - Schicksal
Von B. A. Mertz – 152 S.,
19 farbige Zeichnungen, kartoniert
ISBN: 3-635-**60078**-4
Preis: DM 16,90

Farben beeinflussen Gefühle und Wahrnehmungen, das eigene Verhalten und Wohlbefinden. Mit Hilfe dieses Buches können Sie „Ihre" Farben und deren Bedeutung ganz leicht selbst herausfinden und so neue Erkenntnisse über sich selbst und andere gewinnen.

Handdeutung
Von C. Eisler-Mertz – 120 S.,
50 Zeichnungen, kartoniert
ISBN: 3-635-**60101**-2
Preis: DM 14,90

Die Deutung der Hände fasziniert die Menschen seit alters her. Dieses „Handbuch" zeigt Ihnen, wie die Handdeutung zu vertiefter Selbsterkenntnis führt und hilft Ihnen, auch das Wesen anderer Menschen besser zu ergründen.

Prophezeiungen
Von S. Skinner
176 S., kartoniert
ISBN: 3-635-**60255**-8
Preis: DM 16,90

Dieses Buch bietet einen Blick in die Zukunft, indem es die wichtigsten Prophezeiungen aus vorchristlicher und christlicher Zeit vorstellt. Viele dieser Vorhersagen sind eingetreten, wird dies auch für die Zeit der Jahrtausendwende gelten?

I Ging
Von R. Sorrell, A. M. Sorrell
224 S., zweifarbig, kartoniert
ISBN: 3-635-**60253**-1
Preis: DM 19,90

Das Chinesische Münzorakel hat seine Bedeutung in der Konstellation der Urkräfte Yin und Yang. Auch heute noch kann Ihnen I Ging, das „Buch der Wandlungen", eine wertvolle Hilfe bei Ihren Entscheidungen sein. Die Regeln sind leicht verständlich, so daß Sie die Weisheit dieses alten Orakels für sich nutzen können.

Traumdeutung
Von G. Haddenbach
172 S., kartoniert
ISBN: 3-635-**60045**-8
Preis: DM 12,90

Träume sagen viel über den eigenen Seelenzustand aus; sie zeigen unterdrückte Emotionen, warnen vor Gefahren und weisen auf die Zukunft hin. Als hilfreiche Einführung in die Welt der Träume gibt dieser Ratgeber Auskunft über Traumarten und Traumdeutung und ergänzt seine Ausführungen mit einem Lexikon der Traumsymbolik.

Aktuelles Sachbuch

Mutterglück aus dem Labor?
Von L. Brauburger – 144 S.,
4 Zeichnungen, kartoniert
ISBN: 3-635-**60244**-2
Preis: DM 14,90

Jedes sechste Paar in Deutschland bleibt ungewollt kinderlos. Dieses Buch gibt Ratschläge und Antworten, um die persönliche Krise zu meistern. Der umfangreiche Serviceteil mit Adressen für Kliniken, Ärztepraxen und Selbsthilfegruppen ist unentbehrlich.

BSE
Von D. Heimann, Dr. M. Gröne
112 S., 10 s/w-Fotos, kartoniert
ISBN: 3-635-**60107**-1
Preis: DM 14,90

Befällt die heimtückische „Rinderseuche" BSE auch Menschen? Dieser Ratgeber gibt Aufschluß über die Inkubationszeit, schafft Klarheit über die wirklichen Erreger und beantwortet die vielen Fragen über die Seuche.

In fremden Betten
Von I. Hommel – 176 S., kartoniert
ISBN: 3-635-**60249**-3
Preis: DM 16,90

Untreue ist keine Frage der Herkunft, Bildung oder des Geschlechts, sie kann jeden treffen. Über das „Warum?" und viele andere Fragen gibt dieses Buch überraschende und erstaunliche Antworten, die Mut zum Umgang mit den eigenen Bedürfnissen machen.

Pro und Contra Kirchenaustritt
Von J. Bollwerk, T. Opitz
110 S., kartoniert
ISBN: 3-635-**60029**-6
Preis: DM 12,90

Immer mehr Christen entschließen sich, aus der Kirche auszutreten. Dieser Ratgeber gibt objektiv Antworten auf viele Fragen, die sich im Zusammenhang mit einer Entscheidung für oder gegen den Kirchenaustritt und daraus folgender Konsequenzen stellen.

Hilfe beim Sterben
Von L. Frenz – 118 S., kartoniert
ISBN: 3-635-**60102**-0
Preis: DM 14,90

Die Diskussion um die Sterbehilfe hat in den letzten Jahren wiederholt für Aufmerksamkeit gesorgt. Dieses Buch versucht, sowohl den Begriff als auch die rechtliche Situation in Deutschland zu klären und zu informieren.

Achtung Finanzhaie!
Von R. Rühl – 144 S., kartoniert
ISBN: 3-635-**60267**-1
Preis: DM 19,90

In wirtschaftlich schwierigen Zeiten und bei hoher Steuerbelastung ist eine gute Kapitalanlage wichtig. Doch der Anlagemarkt ist schwer durchschaubar. In diesem Ratgeber finden Sie wertvolle Informationen über zwielichtige Methoden von Anlagehaien sowie die Chancen und Risiken verschiedener Anlageformen.

Garten

Grüner wohnen
Von U. Krüger – 144 S.,
177 Farbfotos, 48 farbige Zeichnungen, mit Schutzumschlag, gebunden
ISBN: 3-8068-**4886**-6
Preis: DM 49,90

Grün wohnt es sich schöner! Dieser Ratgeber vermittelt auf großformatigen Farbfotos Anregungen für die Gestaltung der Wohnung mit Pflanzen und zeigt interessante Details zum Nachahmen.

FALKEN Gartenjahr
Von K. Greiner, A. Weber,
P. Michaeli-Achmühle
320 S., 380 Farbfotos, gebunden
ISBN: 3-8068-**4730**-4
Preis: DM 39,90

Freude und Erfolg beim Gärtnern hängen entscheidend davon ab, wann man sät, pflanzt und pflegt. Dieses Buch zeigt – Monat für Monat –, welche Arbeiten jeweils anliegen.

Gartenteiche, Tümpel und Weiher
Von Dr. F. Liedl, H. Goos
80 S., 87 Farbfotos, 39 Farbzeichnungen, kartoniert
ISBN: 3-8068-**1073**-7
Preis: DM 19,90

Ein Kleingewässer im Garten bietet nicht nur einen schönen Anblick, sondern stellt gleichzeitig einen Beitrag zum Naturschutz dar. Dieser Ratgeber informiert sachkundig über Anlage und Pflege eines Naturteiches.

100 englische Gärten
Von P. Taylor – 216 S., 197 Farbfotos, mit Schutzumschlag, gebunden
ISBN: 3-8068-**4885**-8
Preis: DM 79,-

Mächtige Bäume, tiefgrüne Rasenflächen, stille Teiche, kleine Pavillons und Blütenmeere – die englischen Gärten und Landschaftsparks sind berühmt. Die hundert schönsten werden in diesem prächtigen Bildband vorgestellt.

Blütenpracht auf Balkon und Terrasse
Von M. Haberer – 88 S.,
139 Farbfotos, kartoniert
ISBN: 3-8068-**0928**-3
Preis: DM 19,90

Die richtige Zusammenstellung von Pflanzen verzaubert jeden Sitzplatz im Freien. Dieser Ratgeber gibt umfassend und anschaulich Auskunft über Anlage und Pflege eines Balkongartens rund ums Jahr.

Pflanzen vermehren
Von P. Klock – 104 S., 55 Farbfotos, 93 farbige Zeichnungen, kartoniert
ISBN: 3-8068-**1619**-0
Preis: DM 19,90

In diesem Buch vermittelt ein Praktiker Informationen aus erster Hand zu den unterschiedlichsten Vermehrungsarten: ob im Freiland, Frühbeet, im Gewächshaus oder in der Wohnung.

Umgangsformen

Umgangsformen heute
Von H.-G. Schnitzer – 275 S.,
ca. 120 Fotos, 17 Illustrationen, geb.
ISBN: 3-8068-**4876**-9
Preis: DM 29,90

Gute Umgangsformen, Takt und Hilfsbereitschaft sind nicht aus der Mode gekommen – ob bei Tisch oder am Arbeitsplatz, auf der Party oder beim Besuch der Schwiegermutter. Dieses nach Sachthemen gegliederte Handbuch versteht sich eher als Verhaltensempfehlung denn als „Benimm"-Vorschrift.

ABC der modernen Umgangsformen
Von I. Wolff – 222 S.,
132 zweifarbige Zeichnungen, geb.
ISBN: 3-8068-**4754**-1
Preis: DM 29,90

Umgangsformen – wir alle brauchen sie täglich. Aber wie das Leben, wandeln sich auch die Regeln des Zusammenlebens. Für alle, die eine klare und verläßliche Antwort auf die Frage „Was ist angebracht?" suchen, ist dieses Lexikon eine wertvolle Hilfe.

Der gute Ton im Privatleben
Von R. Bartels – 104 S.,
50 s/w-Zeichnungen, kartoniert
ISBN: 3-635-**60097**-0
Preis: DM 12,90

Die Spielregeln für den zwischenmenschlichen Umgang haben sich gewandelt, zentral geblieben ist jedoch die Forderung, sich um rücksichtsvolles Verhalten zu bemühen. Dieser Ratgeber berät Sie in allen Fragen, die sich im modernen Miteinander ergeben.

Umgangsformen im Berufsleben
Von R. Bartels – 80 S., kartoniert
ISBN: 3-635-**60112**-8
Preis: DM 9,90

Wer sich am Arbeitsplatz wohl fühlen und im Beruf vorankommen möchte, der muß das Einmaleins des guten Tons beherrschen. Doch welche Regeln gelten? Dieser moderne Knigge nimmt Abschied von alten Zöpfen und gibt Auskunft über zeitgemäße Umgangsformen im Berufsleben.

Richtig auftreten im Beruf
Von G. Teusen – 144 S.,
7 s/w-Zeichnungen, kartoniert
ISBN: 3-8068-**1657**-3
Preis: DM 19,90

Eine gute Ausbildung, Selbstständigkeit und Selbstbewußtsein sind heute für die meisten berufstätigen Frauen zur Selbstverständlichkeit geworden. Unsicherheit herrscht hingegen häufig im Bereich der Umgangsformen. Dieser kompetente Knigge hilft und verrät, welche Verhaltensregel zeitgemäß sind.

Krawatten
Von M. Adam – 48 S.,
vierfarbig, zahlreiche Fotos und Zeichnungen, gebunden
ISBN: 3-8068-**1519**-4
Preis: DM 14,90

Ob dezent gemustert oder farbenfroh bedruckt - mit der Krawatte läßt sich individueller Stil demonstrieren. Für alle Männer, die ihrem textilen Halsschmuck den letzten Pfiff geben wollen, ist dieser attraktiv illustrierte Ratgeber eine verläßliche Hilfe.

FALKEN TaschenBuch

ErlebnisKüche

Die neue Reihe bei FALKEN:
„ErlebnisKüche"

Diese Kochbuchreihe vereint stimmungsvoll den kulinarischen und optischen Genuß. Die großzügige Ausstattung mit anregenden Fotos auf jeder Seite macht zugleich Lust aufs Schmökern wie aufs Nachkochen. Alle Arbeitsschritte sind übersichtlich dargestellt. Und zusätzlich zu den Rezepten gibt es jede Menge Tips zu Küchentechnik, Küchentricks und Warenkunde.

Alle vier Bände sind durchgehend vierfarbig, gebunden, mit Schutzumschlag, haben 128 Seiten, 120 Farbfotos und kosten **DM 34,90**.

Ich koche für mich
Von A. Ilies
ISBN: 3-8068-**4943**-9

Sie wollen sich auch mal verwöhnen? Mit diesem Kochbuch wird das „Dinner for one" zum puren Genuß. Edle Gerichte mit erlesenen Zutaten machen es möglich – ohne viel Zeitaufwand. Außerdem finden Sie hier praktische Tips zur Vorratshaltung und zum gut geplanten Einkauf.

Thailand
Von B. Aepli
ISBN: 3-8068-**4945**-5

Einen Hochgenuß für alle Sinne zaubern Sie im Handumdrehen mit den landestypischen Gerichten aus diesem Buch. Von Vorspeisen über Hauptgerichte bis hin zu köstlichen Desserts – die Auswahl ist groß, und mit einem exotischen Menü verwöhnen Sie Ihre Gäste.

Nudeln
Von M. Szwillus
ISBN: 3-8068-**4944**-7

Grenzenloses Nudelvergnügen. Ob italienische Tortellini, griechische Chylopíttes, deutsche Maultauschen, chinesische Glasnudeln oder österreichische Fleckerln – in diesem Buch finden Sie neben raffinierten Neukreationen auch die beliebtesten internationalen Nudelspezialitäten.

Raclette und heißer Stein
Von M. Gutta
ISBN: 3-8068-**4946**-3

Gäste zu bewirten macht Freude – vor allem dann, wenn alle zusammen am Tisch ihre Köstlichkeiten selbst kochen können. In diesem Buch finden Sie alles, was Sie für das „kulinarische Gesellschaftsspiel" bei Tisch benötigen. Raffinierte Rezepte runden das Kochvergnügen ab.

Stand der Preise 1.8.1996 · Änderungen vorbehalten

Feste feiern / Verse

Feste feiern
Von C. Kast – 128 S.,
172 Farbfotos, gebunden
ISBN: 3-8068-**4825**-4
Preis: DM 39,90

Schluß mit öden Familienfeiern, Kinderfesten nach Schema F und langweiligen Feiern im Freundeskreis! Dieser freundin-Ratgeber präsentiert eine bunte Palette an originellen Festvorschlägen für Feste in der Wohnung und für Grillpartys, für Kinderfeste und Familienfeiern.

Geburt und Taufe feiern
Von S. Ahrndt – 112 S.,
80 Farbfotos, 46 Farbzeichnungen, kartoniert
ISBN: 3-8068-**1443**-0
Preis: DM 19,80

Ein besonders schöner Anlaß, im Familien- und Freundeskreis zusammenzukommen, ist die Feier von Geburt und Taufe. Dieser Ratgeber hilft bei Planung sowie Durchführung und bietet daneben viele andere nützliche Anregungen.

Geburtstagsfeiern für jedes Alter
Von S. Ahrndt – 120 S.,
145 Farbfotos, 28 farbige Zeichnungen, kartoniert
ISBN: 3-8068-**1382**-5
Preis: DM 19,90

Ob Kindergeburtstag oder Geburtstagsparty, ob Geburtstagsfrühstück, Kaffeetafel oder eine Feier mit Arbeitskollegen - mit Hilfe dieses reichbebilderten Ratgebers wird jeder Geburtstag zu einem unvergeßlichen Ereignis.

Die neue Glückwunschfibel
Von R. Christian-Hildebrandt
106 S., 34 Zeichnungen, kartoniert
ISBN: 3-635-**60031**-8
Preis: DM 9,90

Nichts ist so schön wie der Gedanke, liebe Menschen zu erfreuen, sei es mit einer Karte, einem Brief oder einem Glückwunschtelegramm. Dieses Buch enthält eine Vielzahl von Glückwünschen in Versform und in Prosa für die Feste im Laufe eines Jahres.

Glückwunschverse für Kinder
Von B. Ulrici – 112 S.,
26 s/w-Fotos, kartoniert
ISBN: 3-635-**60092**-X
Preis: DM 12,90

Wenn Kinder bei festlichen Anlässen Glückwünsche in Gedichtform vortragen, erfreut ein gelungener Auftritt die Herzen aller Beteiligten. Dieser illustrierte Ratgeber bietet eine Fülle von leicht zu lernenden, klassischen und originellen modernen Versen für jede Gelegenheit.

Kindergedichte für Familienfeste
Von B. H. Bull – 98 S.,
30 Zeichnungen, kartoniert
ISBN: 3-635-**60050**-4
Preis: DM 12,90

Ob zum Muttertag, zum Valentinstag oder zum Nikolaus, dieses Buch bietet mit unzähligen Gedichten einen wertvollen Fundus für Kinder und Erwachsene.